Y0-BZA-404

El placer de soñar

EL PLACER DE SOÑAR

UNA ANTOLOGÍA POÉTICA DEL SUEÑO PARA GENTE DESPIERTA

Selección de
Francisco Hernández

Sistema de clasificación Melvil Dewey DGMyME

861
P63
2001 *El placer de soñar: una antología poética del sueño para gente despierta* / Selección de Francisco Hernández. – México : SEP : Planeta, 2001.
128 p. – (Libros del Rincón)

ISBN: 970-18-7336-X SEP

1. Poesía. I. Hernández, Francisco, comp. I. t. II. Ser.

Primera edición SEP / Planeta, 2001

ISBN: 970-690-577-4 Planeta
ISBN: 970-18-7336-X SEP

El placer de soñar: una antología poética del sueño para gente despierta
se imprimió en los talleres de Imprentor,
Salvador Velasco 102, Parque Industrial Exportec 1,
50200, Toluca, Estado de México.
Se tiraron 45 000 ejemplares.

Índice

PRIMERA PARTE. *Epígrafes*

SEGUNDA PARTE. *Poemas*

A la que me quita el sueño

El autor agradece el apoyo del Sistema Nacional de Creadores, y la colaboración de Hernán Bravo Varela.

Primera parte

Epígrafes

Los sueños son la actividad estética más antigua.

JORGE LUIS BORGES
Argentina

❧

Dormida eres más grande que la noche
pero tu sueño cabe en este cuarto.

OCTAVIO PAZ
México

❧

¡Oh, si las flores duermen
qué dulcísimo sueño!

GUSTAVO ADOLFO BÉCQUER
España

❧

Deja el jardín y la casa
el que duerme
y el que sueña
casa y jardín recupera.

ULALUME GONZÁLEZ DE LEÓN
Uruguay

No necesito más que un alto sueño,
y un incesante fracaso.

JAIME SABINES
México

❧

Da a los sueños que has olvidado el valor de lo que no conoces.

ANDRÉ BRETON Y PAUL ELUARD
Francia

❧

Este amor loco por los sueños,
por el placer de soñar...

LUIS BUÑUEL
España

❧

Soñó tanto que solía
confundir el paripé
de su fama con la fe...

ORLANDO GONZÁLEZ ESTEVA
Cuba

¡Ah, el sueño! ¡Cosa benévola
amada de polo a polo!
¡Loada sea María la Reina!
Desde el cielo envió un sueño benigno
que se deslizó en mi alma.

S. T. Coleridge
Inglaterra

❧

Pero el agua recorre los cristales
musgosamente:
ignora que se altera,
lejos del sueño, todo lo existente.

José Emilio Pacheco
México

❧

Yo sueño con los ojos
abiertos, y de día
y noche siempre sueño...

José Martí
Cuba

❧

Decapitando sueños, fatigadas,
sobre el túmulo alto de los cerros
las estrellas del valle se marchitan.

Rafael Alberti
España

Parado en el umbral de los sueños
o sobre el filo de la navaja que es lo mismo.

Alfonso Murillo Patiño
Bolivia

❧

El Titán, en brazos de la Tierra, duerme y sueña plácidamente, y hasta el Cancerbero, tan celoso, bebe de esa copa y duerme...

Friedrich Hölderlin
Alemania

❧

Y, durante el sueño, el goce se le acerca;
durante el sueño, ve y posee la figura,
la carne codiciada.

C. P. Cavafis
Egipto

❧

Entra el cartero y me entrega la
carta recibida en el sueño...

Virgilio Piñera
Cuba

❧

El sueño de la razón produce monstruos.

Francisco de Goya
España

¡Arable tierra del sueño!

SAINT-JOHN PERSE
Francia

❧

La espuma de tus sueños
Moja sus pies rosados.

ENRIQUE MOLINA
Argentina

❧

Bajo el almendro de tu esposa,
cuando la primera luna de agosto
surge por detrás de las casas,
podrás soñar, si los dioses te sonríen,
los sueños de otro.

ANTIGUA CANCIÓN
China

❧

Dormirse en los laureles es tan peligroso como descansar en una excursión por la nieve. Cabeceas y te mueres en el sueño.

LUDWIG WITTGENSTEIN
Austria

Los sueños son una especie de poesía involuntaria.

JEAN PAUL RICHTER
Alemania

❧

No prenderse a la ilusión y al sueño
y por ello extraviar la emoción de un alto calado
entrando en la bocana...

JORGE RUIZ DUEÑAS
México

❧

Los sueños son eso de lo que uno despierta.

RAYMOND CARVER
Estados Unidos

❧

Sueño con un mundo en el que se muriera por una coma.

CIORAN
Rumania

❧

Oh Dios, podría confinarme en una cáscara de nuez y creerme rey del espacio infinito de no ser porque tengo malos sueños.

WILLIAM SHAKESPEARE
Inglaterra

Del que hace poco a poco su cadáver,
del que junta su muerte noche a noche en el sueño.

MARGARITA MICHELENA
México

❧

Coche fúnebre de mi sueño...

ARTHUR RIMBAUD
Francia

❧

Afuera hay un jardín y alguien, en sueños,
me da un ramo de flores y se aleja cantando.

GIOVANNI QUESSEP
Colombia

❧

Debe de ser el sueño
De alguna sombra que no tiene dueño.

FRANCISCO LUIS BERNÁRDEZ
Argentina

❧

El sueño, autor de representaciones,
en su teatro sobre el viento armado
sombras suele vestir de bulto bello.

LUIS DE GÓNGORA
España

No digan cómo subió tan alto el humo del sueño.

ODISEAS ELITIS
Grecia

❧

La extraña hermana aparece de nuevo en los sueños angustiosos de alguien.

GEORG TRAKL
Austria

❧

Cada noche, en mis sueños, me arranco la costra de una llaga; cada día, consuetudinario y vacío, dejo que se forme otra vez.

CYRIL CONNOLLY
Inglaterra

❧

Esta noche no puedes ahogar la amargura
en la garganta, no puedes entregarla ni al amor
ni a los sueños.

ROBERT L. JONES
Estados Unidos

❧

Con frecuencia soñamos cuando escribimos,
y a veces escribimos cuando soñamos.

LUIS IGNACIO HELGUERA
México

El fauno soñaría himen y casto anillo...

Stéphane Mallarmé
Francia

❧

Al sur del sueño me perturban
unas sombras sensuales que yo sabía pronunciar.

Gilberto Owen
México

❧

Quebrantó el alto sueño de mi mente
un grave trueno, y vime recobrado
como aquel que despiertan bruscamente...

Dante Alighieri
Italia

❧

Porque habito mi sueño por tu sueño,
Habito tu cuerpo por mi cuerpo.

Emilio Prados
España

❧

Vine por ti del sueño bajo la yerba ciega.
Eso era la felicidad: aquello que no tenía
respuesta.

María Baranda
México

Era la noche y dominaba el sueño sobre los Vivientes. ¡Por los astros, piedad!

VIRGILIO
Italia

❧

Primero hay que dormir,
después soñarte vivo...

ALEJANDRO PANIAGUA
México

❧

Soñé que le ladraba a un perro.

CHARLES SIMIC
Estados Unidos

❧

Para entender a José Carlos Becerra
basta
caminar como en sueños
hablar como en sueños
mirar como en sueños
soñar como en sueños

FRANCISCO MARTÍNEZ NEGRETE
México

Sueña que es cuarzo, de un lila casi
transparente.

GONZALO ROJAS
Chile

❧

Cual tu imagen pasa por mis sueños,
así la mía, amor, por los tuyos pase.

YEHUDA HA-LEVÍ
España

❧

Sueñas que sueñas que sueño
—que los sueños son así—

ALFONSO REYES
México

❧

Ya no es la muerte ni la vida
lo que alegre despierta con mi sueño.

CINTIO VITIER
Cuba

❧

Pudo traspasar la maraña del sueño,
llegando hasta el lugar donde anidan los sobresaltos.

JUAN RULFO
México

Y sangra y se desparrama por
su puesto
en las calles del barrio del sueño

JAIME REYES
México

❧

Para sacarte de esta muerte
que arribó a destiempo
revolviendo sueños y avestruces

CARLOS NIETO
México

❧

Aunque tú me has echado en el abandono
Aunque tú has muerto todas mis ilusiones
En vez de maldecirte con justo encono
En mis sueños te colmo de bendiciones

MIGUEL MATAMOROS
Cuba

❧

La vigilia del sueño que soñaste

FRANCISCO MAGAÑA
México

Por ti supe también
cómo se peina un sueño.

PEDRO SALINAS
España

❧

El hermoso mar soñado,
con agua y sol color de mar...

JUAN VICENTE MELO
México

❧

Con la cabeza sumergida en la palangana,
le gustaba soñar con años anteriores,
cuando reinaba un vacío tranquilo y misterioso.

ELÍAS CANETTI
Bulgaria

❧

He recorrido el palacio mágico del sueño.

JOSÉ ANTONIO RAMOS SUCRE
Venezuela

❧

—Sígueme soñando —le supliqué—. No vayas a despertar.

FELIPE GARRIDO
México

Los sueños nos permiten que, sin riesgo y tranquilamente todas las noches de nuestra vida nos volvamos locos.

CHARLES FISHER
Estados Unidos

❧

Las monedas de oro del sueño...

ALEJANDRA PIZARNIK
Argentina

❧

Perdido sueño: ganado:
está el corazón dormido.

ÁNGEL GAZTELU
España

❧

Un sueño rompe nuestras ataduras
Y nos hunde en el regazo del padre.

NOVALIS
Alemania

Cuando la noche siguiente César soñó, con gran consternación, que violaba a su madre, los adivinos lo confortaron enormemente con su interpretación del sueño. A saber, estaba destinado a conquistar la Tierra, nuestra Madre Universal.

SUETONIO
Italia

❧

Un hombre soñó que desollaba a su propio hijo y que con la piel hacía un odre. Al día siguiente, su pequeño hijo cayó al río y se ahogó. Porque un odre se hace con piel de cadáveres y se utiliza para contener líquidos.

ARTEMIDORO
Grecia

Segunda parte

Poemas

Sor Juana Inés de la Cruz
(México)

Primero sueño

(fragmento)

El sueño todo, en fin, lo poseía;
todo, en fin, el silencio lo ocupaba:
aún el ladrón dormía;
aún el amante no se desvelaba.
El conticinio casi ya pasando
iba, y las sombras dimidiaba, cuando
de las diurnas tareas fatigados,
—y no sólo oprimidos
del afán ponderoso
del corporal trabajo, mas cansados
del deleite también (que también cansa
objeto continuado a los sentidos
aun siendo deleitoso:
que la Naturaleza siempre alterna
ya una, ya otra balanza,
distribuyendo varios ejercicios,
ya al ocio, ya al trabajo destinados,
en el fiel infiel con que gobierna
la aparatosa máquina del mundo)—;
así, pues, de profundo
sueño dulce los miembros ocupados,
quedaron los sentidos
del que ejercicio tienen ordinario

—trabajo en fin, pero trabajo amado,
si hay amable trabajo—,
si privados no, al menos suspendidos,
y cediendo al retrato del contrario
de la vida, que —lentamente armado—
cobarde embiste y vence perezoso
con armas soñolientas,
desde el cayado humilde al cetro altivo,
sin que haya distintivo
que el sayal de la púrpura discierna:
pues su nivel, en todo poderoso,
gradúa por exentas
a ningunas personas,
desde la de a quien tres forman coronas
soberana tïara,
hasta la que pajiza vive choza;
desde la que el Danubio undoso dora,
a la que junco humilde, humilde mora;
y con siempre igual vara
(como, en efecto, imagen poderosa
de la muerte) Morfeo
el sayal mide igual con el brocado.

Francisco de Quevedo
(España)

Amante agradecido a las lisonjas mentirosas de un sueño

¡Ay, Floralba! Soñé que te... ¿Diréló?
Sí, pues que sueño fue: que te gozaba.
¿Y quién, sino un amante que soñaba,
juntara tanto infierno a tanto cielo?

Mis llamas con tu nieve y con tu yelo,
cual suele opuestas flechas de su aljaba,
mezclaba Amor, y honesto las mezclaba,
como mi adoración en su desvelo.

Y dije: "Quiera Amor, quiera mi suerte,
que nunca duerma yo, si estoy despierto,
y que si duermo, que jamás despierte."

Mas desperté del dulce desconcierto;
y vi que estuve vivo con la muerte,
y vi que con la vida estaba muerto.

Anónimo
(España)

Soneto

Soñaba una doncella que dormía
con un galán que amaba tiernamente,
y que él en todo andaba diligente
y descuido ninguno no tenía.

Ella; aunque mal al fin se resistía,
diciendo: "¿Qué dirá de mí la gente?",
en efecto cumplió con su accidente,
dando los dos remate a su porfía.

El galán la besaba y abrazaba
con más calor que un encendido leño;
lo dulce a derramar no comenzaba

cuando se despertó y dijo al sueño:
"Durar un poco más, qué te costaba,
pues para mí era gusto no pequeño."

Antonio Machado
(España)

Parábola

Era un niño que soñaba
un caballo de cartón.
Abrió los ojos el niño
y el caballito no vio.
Con un caballito blanco
el niño volvió a soñar;
y por la crin lo cogía...
¡Ahora no te escaparás!
Apenas lo hubo cogido,
el niño se despertó.
Tenía el puño cerrado.
¡El caballito voló!
Quedóse el niño muy serio
pensando que no es verdad
un caballito soñado.
Y ya no volvió a soñar.
Pero el niño se hizo mozo
y el mozo tuvo un amor,
y a su amada le decía:
¿Tú eres de verdad o no?
Cuando el mozo se hizo viejo
pensaba: todo es soñar,
el caballito soñado
y el caballo de verdad.

Y cuando vino la muerte,
el viejo a su corazón
preguntaba: ¿Tú eres sueño?
¡Quién sabe si despertó!

Rubén Bonifaz Nuño
(México)

Los sueños y los adioses

(fragmento)

¿Quién soñará estos sueños? ¿Ha bajado el cielo a la tierra sus pantanos de nubes, es la tierra quien ha empujado hacia arriba sus montes desgarrados? ¿Sueña el arcángel manco detrás de su nostálgica máscara de niebla, sueña la mujer que espera? ¿Qué oscuro amor aloja en el cielo terrestre, en la tierra celestial de profundos vapores, a esta pareja víctima de la eterna esperanza? ¿O es acaso el hombre que se despide —ya tan lejos— quien convoca en su sueño la imagen de aquello que no sabe si evita o procura?

Alejandra Pizarnik
(Argentina)

Un sueño donde el silencio es de oro

El perro del invierno dentellea mi sonrisa. Fue en el puente. Yo estaba desnuda y llevaba un sombrero con flores y arrastraba mi cadáver también desnudo y con un sombrero de hojas secas.

He tenido muchos amores —dije— pero el más hermoso fue mi amor por los espejos.

César Arístides
(México)

Meditación de la pesadilla

a Irma Leticia Quiroz Romo

Tengo en mi sueño un oleaje rencoroso
la lengua decembrina moja nuestros cuerpos
los copos sangrientos devoran la fe
congelan la esperanza azuzan al odio
me derrumbo bajo la lluvia
te enfrento en una torre lacrimal
imagino que estás hipnotizada
en tu territorio de aridez y exasperación
gloriosamente difunta o enloquecida por la sed
en el sueño te saco los ojos
abro tus muslos con un machete mudo
para vengar las agujas perpetuas
clavadas en mi frente
con ellas bordaste los nervios alcohólicos
la playa y el desastre

las pesadillas se vuelven musgo y armonía
y te descubro lívida
raramente sensual
eres una ballena pedregosa
con la piel labrada por las candelas
una vulva con virtudes oceánicas

avanzo por la salación en duermevela
sigo el eco y la profanación
te encajo el arpón en la risa
es sólo una lágrima desnuda
muerdo enfurecido tu vientre
pero mi paladar hospeda
nubes cargadas de presentimientos
alguien escondió las dagas
y puso en su delicado lugar
el aroma sexual de tus cartas
tu aliento endemoniado

despierto a otra amarga alucinación
con una sobriedad espantosa
olvidaste mi coraje en un barranco
donde murmuran las astillas sus deseos
la lluvia repite tu plegaria y espalda
las ventanas tienen el brillo de tus ojos
mientras la calzada se alarga entre tus piernas
hasta inaugurar en una alcantarilla
la vagina enlodada
con el salmo en los labios
doy vuelta en tu perfil
para buscar la ventura del suicidio
dicen que los ahorcados
soñaron morir vestidos de gala
el verbo erecto implacable
te concederé esta gracia
no para deleitar tu acuática voracidad
será mi sexo un garrote limpio
presto a amedrentar tu frágil mandíbula

glacial ballena inolvidable
no sé a qué generación de bárbaros
sus máximas atrocidades purgo
pues más cadáver
que una ceniza al campanario
te sueño imperturbable.

Eliseo Diego
(Cuba)

En la cocina

Enrosca el gato su delicia
de sí sobre sí mismo, duerme
de su principio a fin, secreto.
            En tanto

esboza la penumbra disidencias
de cazuelas y potes, resistentes
al imperio del sueño.
            Cae el mundo

por el filo del agua, gruñe
para sí el fuego, pero el gato
lo ignora:
            permanece

sencillamente, inmune
a memoria y olvido, a salvo
en la delicia de su ser
            —perfecto.

José Carlos Becerra
(México)

(el problema del sueño)

la sensación más intensa de sueño
deriva de un razonamiento análogo
a la necesidad de iluminar los subterráneos,

la razón no estropeada
por la pérdida de calor de la realidad,
la razón que no es la razón,
lo dice,

en condiciones no del todo conocidas,
la sensación más intensa del sueño
es semejante a la luz que no ha sido encendida,

si caminamos por algunos discursos
expresiones sucesivas de las partes de un todo,
nos encontramos con ciertos tubitos de vidrio
por donde la razón es soplada,
en sentido contrario a lo que creemos,

así no se puede, dicen algunos,
exponga en forma fácilmente comprensible
el problema del sueño,
—tiempo durante el que se expone a la luz
una placa fotográfica—
hace click, click,

y la luz apagada es el camino
más fácil de caminar dormido,
en el click click no se anuncia
un hecho imprevisto,
todos sabemos de qué se trata.

Pedro Calderón de la Barca
(España)

La vida es sueño

(fragmento)

Es verdad; pues reprimamos
esta fiera condición,
esta furia, esta ambición,
por si alguna vez soñamos;
y sí haremos, pues estamos
en un mundo tan singular,
que el vivir sólo es soñar;
y la experiencia me enseña
que el hombre que vive, sueña
lo que es, hasta despertar.
Sueña el rey que es rey, y vive
con este engaño mandando,
disponiendo y gobernando;
y este aplauso, que recibe
prestado, en el viento escribe;
y en cenizas le convierte
la muerte, ¡desdicha fuerte!
¿Que hay quien intente reinar,
viendo que ha de despertar
en el sueño de la muerte?
Sueña el rico en su riqueza,
que más cuidados le ofrece;
sueña el pobre que padece

su miseria y su pobreza;
sueña el que a medrar empieza,
sueña el que afana y pretende,
sueña el que agravia y ofende,
y en el mundo en conclusión,
todos sueñan lo que son,
aunque ninguno lo entiende.
Yo sueño que estoy aquí
destas prisiones cargado,
y soñé que en otro estado
más lisonjero me vi.
¿Qué es la vida?, un frenesí;
¿qué es la vida?, una ilusión,
una sombra, una ficción,
y el mayor bien es pequeño;
que toda la vida es sueño,
y los sueños, sueños son.

Eduardo Hurtado
(México)

Nocturno abierto

A veces no sueño ni un puntito
JUAN MIGUEL

Una sombra impecable
me acoge
y me desata
Se parece a la luz
que inunda el cuarto
cuando en casa
se olvidan de mi ausencia
Duermo
Bajo la piel
delgada
de mis párpados
la oscuridad extiende
sus ramas numerosas
Tal vez afuera
mi padre lee su horóscopo
en el diario;
quizá en el mar distante
renace un barco
hundido;
a lo mejor mañana
ya están muertas mi abuela
y mi tortuga

Pero en mi eterna noche
sin contornos
una ceguera familiar
adivina el color
sin fatigarse
Avanza una gaviota
en la pizarra
negra
de mi felicidad
intacta.

Gastón Baquero
(Cuba)

Estoy soñando en la arena...

Estoy soñando en la arena las palabras que
garabateo en la arena con el sueño índice:
Amplísimo-amor-de-inencontrable-ninfa-caritativo-
muslo-de-sirena.
Éstas son las playas de Burma, con los minaretes
de Burma, y las selvas de Burma.
El marabú, la flor, el heliógrafo del corazón.
Los dragones andando de puntillas porque
duerme San Jorge.
Soñar y dormir en el sueño de muerte los sueños
de la muerte.
Danos tiempo para eso. Danos tiempo. Tú eres
quien sueña solamente
"No. Yo no sueño la vida,
es la vida la que sueña a mí,
y si el sueño me olvida,
he de olvidarme al cabo que viví."

Guadalupe Amor
(México)

Dormir sin sueño

VI

Cansada me resigno a este letargo;
mi vida se desliza adormecida,
prisionera, me siento retenida
por denso sueño humoso, que es muy largo.

¡El camino nublado es tan amargo!
En él la ensoñación está prohibida,
dormir sin sueño es sombra aborrecida
y las sombras me envuelven sin embargo.

Aunque de vida sea mi somnolencia
de muerte es este extraño no soñar.
Si dormida conservo mi conciencia,

¡angustioso será mi despertar!
Prefiero alimentar lenta paciencia,
y, con ojos abiertos, no mirar.

Salvador Díaz Mirón
(México)

Vigilia y sueño

La moza lucha con el mancebo
—su prometido y hermoso efebo—
y vence a costa de un traje nuevo.

Y huye sin mancha ni deterioro
en la pureza y en el decoro,
y es un gran lirio de nieve y oro.

Y entre la sombra solemne y bruna,
yerra en el mate jardín, cual una
visión compuesta de aroma y luna.

Y gana el cuarto, y ante un espejo,
y con orgullo de amargo dejo,
cambia sonrisas con un reflejo.

Y echa cerrojos, y se desnuda,
y al catre asciende blanca y velluda,
y aun desvestida se quema y suda.

Y a mal pabilo tras corto ruego,
sopla y apaga la flor de fuego,
y a la negrura pide sosiego.

Y duerme a poco. Y en un espanto
y en una lumbre y en un encanto
forja un suceso digno de un canto.

¡Sueña que yace sujeta y sola
en un celaje que se arrebola,
y que un querube llega y la viola!

Juan Gustavo Cobo Borda
(Colombia)

Roncando al sol, como una foca en las Galápagos

Es tan deleznable toda poesía amorosa,
tan llena de ripios,
que no puedo dejar de escribirla.
Tú subviertes mi flácida rutina
y aun así desfallezco en cada línea.
Todo me incita a la modorra de los sentidos.
Única certeza
en estos tiempos de oprobio y ruido
tu lustrosa energía.
Especie a punto de extinguirse,
en la arena del sueño juego contigo.

Álvaro Mutis
(Colombia)

Amén

Que te acoja la muerte
con todos tus sueños intactos.
Al retorno de una furiosa adolescencia,
al comienzo de las vacaciones que nunca te dieron,
te distinguirá la muerte con su primer aviso.
Te abrirá los ojos a sus grandes aguas,
te iniciará en su constante brisa de otro mundo.
La muerte se confundirá con tus sueños
y en ellos reconocerá los signos
que antaño fuera dejando,
como un cazador que a su regreso
reconoce sus marcas en la brecha.

Francisco Cervantes
(México)

El sueño del juglar

el juglar duerme su sueño de cadáver
su olvido de mariposa su sueño de alfiler
y la memoria oh la memoria gastada de los dioses
de cuando en cuando posa su ala desplumada y
desplomada
sobre el recuerdo de su cuerpo
y entonces la canción se escucha lejana y vuelven
los ecos de campañas de lanza y flecha y culebrinas
y prometidas esperando el regreso de los suyos
campeones
y pudo ser que sólo recibieran el esqueleto dentro
de la armadura
o una mancha de sangre impresa en el guantelete
o un banderín ajado por la muerte
y sus ojos se hayan llenado de rencor contra del
muerto
y el siglo se les haya poblado de fantasmas y
dragones
oh la conquista de esa locura de reinas
los cantos de juglares hambrientos o juglares
insatisfechos
barrigas son los cantos los corazones botas
de un vino viejo y sin mancilla
si tú lo oyeses ese canto amada
si supieras que he venido a rescatar nuestra alegría

y me encuentro súbitamente preso en mi agonía
y entonces las voces caducas de juglares
vuelven a resonar en mi nostalgia
quien escuchara mi voz que no supiera
estar detrás de su sueño como un escudero
ah ya no estamos en el campo he sido derrotado
y ya no ondea mi banderín campea la corrosión
y el sueño no vuelve a construir los muros de
    ansiedad
la espada no flamea más al ser desenvainada
ni ruge encerrada en su prisión
el corazón no saca su voz de perro
ni se guarda la mugre sin el sueño.

Tomás Segovia
(España)

Es sueño

En el aire va flotando
un despertar inconcreto
que nunca despierta nada.

El viento duerme en el árbol,
y el árbol está dormido,
y el árbol reposa en tierra,
y dormida se cobija
en mi mirada dormida.

En el aire va flotando
un despertar inconcreto.
Y nunca nada despierta.

Eduardo Langagne
(México)

En el sueño la imagen

En el sueño la imagen se advierte en blanco y negro;
es un espacio incierto, igual que las palabras.
Los ojos adivinan de aquel cuerpo el contorno,
las sombras, los oídos. Los odios dan aromas.
El que sueña no sabe por qué tanto alboroto:
quién penetra, perturba, perpetra, parapeta;
quién, intruso, introduce el uso del temor;
quién atisba y observa lo que el sueño desarma.
Todos tienen derechos para entrar a tu sueño,
pero el sueño, cuidado, es solamente un sueño.
Habrás de despertar y negarte. Negarte
a que haya cancerberos cuidando lo que sueñas.
Pero todo era un sueño, sudoroso recuerdas
que ayer te recostaste en esta misma cama,
que eres tú y es tu misma habitación. Por eso
estás contento. Miras a tu mujer dormida,
apacible y desnuda como el volcán cercano
que descansa al oriente, detrás de tu ventana.
Y repentinamente no sabes si ella es otra
o la tuya. Miraste otras espaldas, nunca
creíste que dudabas, confundías o mezclabas
la memoria y el sueño. No despiertes entonces.

Marco Antonio Campos
(México)

Madrugada en Atenas

Anoche, en el jardín de los sueños,
te vi:
        estabas en las ruinas y en los arcos
Hoy, al levantarme,
me asomé a la ventana,
y en las ruinas y en los arcos
había un manantial
                                de pájaros.

César Vallejo
(Perú)

Medialuz

He soñado una fuga. Y he soñado
tus encajes dispersos en la alcoba.
A lo largo de un muelle, alguna madre;
y sus quince años dando el seno a una hora.

He soñado una fuga. Un "para siempre"
suspirado en la escala de una proa;
he soñado una madre;
unas frescas matitas de verdura,
y el ajuar constelado de una aurora.

A lo largo de un muelle...
Y a lo largo de un cuello que se ahoga!

Eduardo Lizalde
(México)

El tigre en la casa

(fragmento)

Duerme el tigre.
La sangre de este sueño,
gotea.
Moja la piel dormida del tigre real.
La carne entre las muelas
requeriría mil años de masticación.

Despierta hambriento.
Me mira.
Le parezco sin duda un insecto insaboro,
y vuelve al cielo entrañable
de su rojo sueño.

Federico García Lorca
(España)

Sueño

Mayo de 1919

Mi corazón reposa junto a la fuente fría.

(Llénala con tus hilos,
araña del olvido.)

El agua de la fuente su canción le decía.

(Llénala con tus hilos,
araña del olvido.)

Mi corazón despierto sus amores decía.

(Araña del silencio,
téjele tu misterio.)

El agua de la fuente lo escuchaba sombría.

(Araña del silencio,
téjele tu misterio.)

Mi corazón se vuelca sobre la fuente fría.

(Manos blancas, lejanas,
detened a las aguas.)

Y el agua se lo lleva cantando de alegría.

(¡Manos blancas, lejanas,
nada queda en las aguas!)

David Huerta
(México)

Calle de Amsterdam

Mis pasos en esta calle
resuenan en otra calle…
OCTAVIO PAZ, "Aquí"

Camino por la calle de Amsterdam
y no sé si estoy en un sueño
o si se trata de la prosa indistinta de los días
—y llego tarde a ver a mis amigos.
Pero ¿cuáles amigos? Yo no tengo amigos.
Quizás es una pesadilla que se introdujo
en la realidad. Veo fluir sobre mi cabeza
una bocanada de aire negro —es el smog
que en estos días alcanza una densidad
sin precedentes. A mi lado alguien grita,
se oye un disparo, un niño cae de una bicicleta
y sangra, dos automóviles que chocan
producen un ruido enloquecedor que dura
una fracción de segundo. La locura queda ahí,
el miedo permanece, el asombro teñido de angustia
dura y se endurece. ¿Qué importa si es un sueño,
una pesadilla dentro de la realidad
o la realidad misma, con sus erizamientos,
miserias, embrutecimientos y dolores?
Yo no tengo amigos. ¿Tengo amigos?
¿He tenido o tendré amigos alguna vez?

No me importa dónde los encuentre,
con tal de que no llegue tarde a verlos, aquí,
en este sueño o pesadilla, o allá, en este *aquí*
que puede ser la realidad de la calle de Amsterdam,
en una Ciudad Irreal o en la Dimensión Desconocida.

Mark Strand
(Estados Unidos)

El sueño

Está el sueño de mi lengua
hablando un idioma que no recuerdo nunca
—palabras penetrando un sueño de palabras
una vez que han sido dichas.

Está el sueño de un momento
en el que sigue, alargando la noche,
y el sueño de la ventana
que convierte el alto sueño de los árboles en
vidrio.

El sueño de las novelas es callado al leerse
como el sueño de los vestidos sobre los cuerpos
tibios de las mujeres.
Y el sueño del rayo que congrega el polvo en días
soleados,
y mucho después, el sueño de las cenizas.

El sueño del viento, es sabido, colma el cielo.
El largo sueño del aire encerrado en los pulmones
de los muertos.
El sueño de un cuarto ocupado por alguien.
Incluso es posible el sueño pesado de la luna.

Y el sueño que requiere que me acueste
y me acomode en la oscuridad que sobre mí se
    esparce
como otra piel donde nunca me encontrarán,
de la cual nunca surgiré otra vez.

Vicente Quirarte
(México)

Amanecer en Saint Malo

Soñé que la ciudad nos recibía, palpitante de luces,
galanada con lluvia, con su aliento de hielo, para que al
abrazarnos la abrazáramos.

Soñé que manejaba un convertible blanco en una ciudad
siempre ocupada por la primavera.

Soñé que ayudaba a un niño cojo a clavar una barda de
madera mientras tallaba peines de cuerno con formas animales.

Soñé que mis sobrinos se transformaban a voluntad en
mansos San Bernardo. Me vencían, me tumbaban, me lamían
como si fueran a esculpirme. Cuando era el turno de
ser niños, fabricaban laberintos de jade, juguetes prodigiosos
anhelados por fabricantes de relojes.

Soñé que el mar tenía quince años porque tú lo mirabas.

Nadie lo había acariciado así, de verde a verde.
Descubierto,
apenado, adolescente, jugaba a olvidarte con su
ruidosa banda de delfines.

Soñé que la ciudad tomaba por estandarte tu
vestido de
niña marinera. Pasabas revista a las tropas en
todos los
bastiones y los guerreros te nombraban Amiga de mi
Sangre, Señora del Alto Insomnio, Suprema
Sacerdotisa del
Asalto.

Soñé que los grandes pájaros marinos —negros
como el
cuaderno de las algas— volaban sobre la tumba
del poeta
y ocupaban las ramas del árbol afuera de su casa,
para cantar
por él de noche y día.

Soñé que un marinero dedicaba su vida a tallar tu
rostro
en pipas de espuma de mar, que botaba a la hora
del crepúsculo.

Soñé que te tocaba como no te he tocado. No me
atrevo a
olvidar lo que dijiste. No me atrevo a decir lo que
dijiste.

Conservo el tramado celeste de una seda dormida
y despierta
en tu epidermis.

El mar estaba ahí, desde temprano. Preparaba sus
cosas
para el día como un profesor que aguarda a sus
pupilos.
Pero esto ya no lo soñaba.

Alfonsina Storni
(Argentina)

El sueño

Yo vi dos soles rojos dominando el espacio...
Perlaban en sus rayos las luces del topacio
Y tendí mis dos manos hambrientas de infinito
Para estrujar en ellas un inefable mito.

Las dos pupilas rojas como rosas del cielo
Cegaron mis pupilas, soberbias en su anhelo
De mirar cara a cara los toques de diamantes
Que estaban en el éter como luces distantes.

Después, como un crujido de nudos que se
quiebran...
Tempestades soberbias que en los mares se
enhebran;
Parto de los infiernos... Un quejido de Dios...
¡Y bocas que se muerden en un supremo adiós!

Más tarde una sonata más dulce que la miel;
Agonía de lirios en el jardín aquel.
Palacio de oro y oro donde habita una maga
Que ha dormido cien años por maldición aciaga.

Y después manos blancas desparramando rosas
Sobre el alma escondida y serena de las cosas...

Y un silencio de muerte cansado y sepulcral
Donde se prende el lotus venenoso del mal.

Y después de la mañana que llega a los cristales
Del cuarto miserable donde muerdo mis males...
Y después otro día que se esboza en el lloro
De mis días sin sol, de mis soles sin oro!...

Hernán Bravo Varela
(México)

Sueño sobre el muro blanco

En el muro blanco, las manos descansan. Ladrillos se confunden, párpados se borran en la arquitectura inquieta. La orquídea estalla en la equivocación del patio. En el momento de las aguas, nadie, en la pureza inédita de su multiplicación. Nadie sobre el pecho que, amparando la antigüedad de sus latidos, canta un brillo que se olvida.

Ya los dedos apuntan al brote de la imagen: la cascada que los ojos aceptan mojando la nuca. Ya la sal que, sobre los hombros, piensa en el pico de los pájaros despiertos.

Álvaro de Campos
(Portugal)

El sueño que desciende sobre mí

El sueño que desciende sobre mí,
El sueño mental que desciende físicamente sobre mí,
El sueño universal que desciende individualmente
    sobre mí
—ese sueño
parecerá a los demás el sueño de dormir,
el sueño de las ganas de dormir,
el sueño de ser sueño.
Pero es más, de más adentro, de más arriba:
Es el sueño de la suma de todas las desilusiones,
Es el sueño de la síntesis de todas las esperanzas,
Es el sueño de que haya mundo conmigo ahí
    adentro
Sin que yo haya contribuido en nada para ello.

El sueño que desciende sobre mí
Es, con todo, como todos los sueños.
El cansancio tiene al menos molicie,
El decaimiento tiene al menos sosiego,
La rendición es al menos el fin del esfuerzo,
El fin es al menos el no haber ya qué esperar.

Suena un abrir de ventana;
Giro indiferente la cabeza hacia la izquierda,
Por encima del hombro que la siente,

Y miro por la ventana entreabierta:
La muchacha del segundo de la casa de enfrente
Asoma los ojos azules en busca de cualquiera.
¿De quién?,
pregunta mi indiferencia.
Mas todo eso es sueño.
Dios mío, ¡tanto sueño!

José Juan Tablada
(México)

Sueños

Sueño en un ángel que me sonría,
En una aurora llena de sol,
Cuando en las sombras del alma mía,
Que empalidece la nostalgia,
Nazca el amor…

Sueño en las glorias de un mediodía,
De un mediodía lleno de ardor;
En una fuente que cante y ría
Cuando en los triunfos de su alegría
Viva mi amor…

Sueño en la tarde brumosa y fría
De algún otoño desolador,
Cuando inclinando la faz sombría
Entre los hielos de su agonía
Muera mi amor…

Sueño en la noche tenaz, impía
Que airada envuelva mi corazón
Cuando transcurra la vida mía,
Sin esperanza, sin alegría,
Sin un amor…

Juan Boscán
(España)

Dulce soñar y dulce acongojarme

Dulce soñar y dulce acongojarme,
Cuando estaba soñando que soñaba.
Dulce gozar con lo que me engañaba
Si un poco más durara el engañarme.

Dulce no estar en mí que figurarme
Podía cuanto bien yo deseaba;
Dulce placer, aunque me importunaba,
Que alguna vez llegaba a despertarme.

¡Oh sueño, cuánto más leve y más sabroso
me fueras si vinieras tan pesado
que asentaras en mí con más reposo!

Durmiendo, en fin, fue bienaventurado,
Y es justo en la mentira ser dichoso
Quien siempre en la verdad fue desdichado.

Ernesto Lumbreras
(México)

El cielo

(fragmento)

Estaba en duermevela, pensando en los gastos de la construcción, descansando de mi reciente lucha contra la tempestad, soñando un caballo a la orilla del cielo, cuando de golpe me despertó un estruendo, agudísimo. Sin pararme de la cama empecé a definir los ruidos que sucedieron al estrépito inicial: una suerte de chillidos, un barullo de hojas, un batidero de alas. A mi lado, inmutable, Helena dormía como dentro de un féretro cubierto de manzanas. Me puse la bata y las pantuflas y bajé al jardín con una linterna. Lejos de experimentar miedo me sentí poseído. Con extraña disponibilidad abrí la puerta del traspatio y caminé hasta el pie del muro, hacia el ojo de aquel impensable huracán. Revolcándose entre la hojarasca del sauce, un loro gigante se desangraba tras impactarse contra la muralla. Entre aquella turbamulta ensordecedora, creí, por un momento, escuchar unas palabras. Enfoqué la linterna hacia ese hervidero de plumas, de sangre, y distinguí que decía, resollando:

"mi corazón sueña mientras tú duermes"

John Donne
(Inglaterra)

El sueño

Amor mío, por nada menos que por ti
habría roto este sueño feliz;
era tema
para la razón, demasiado fuerte para la fantasía,
por lo tanto, sabiamente me despiertas. Sin embargo,
mi sueño no rompes, sino que lo continúas.

Eres tan verdadera que el pensar en ti es suficiente
para tomar los sueños realidad, las fábulas historia.
Entra en estos brazos, puesto que piensas que es
mejor
no soñar todo mi sueño, actuemos lo que resta.

Como el relámpago, o la luz de un cirio,
tus ojos y no tu ruido me despertaron.
Sin embargo, te imaginé
(pues amas de verdad) un ángel, a primera vista,
pero cuando te vi mirar en mi corazón,
y que conocías mis pensamientos, mejor que con
el arte de un ángel,
cuando supiste lo que soñaba, y supiste también
cuando el exceso de gozo habría de despertarme,
y llegaste entonces,
debo confesarlo, no pude evitar ser
profano e imaginarte nada más que lo que eres.

El venir y quedarte te mostró,
pero levantarme me hace dudar que ahora
tú no eres tú.
Pues el amor es débil cuando el temor es tan
fuerte como él.
No es todo espíritu, puro y valiente,
si posee una mezcla de temor, vergüenza, honor.
Tal vez igual que antorchas que prontas han de estar
que los hombres encienden y apagan a su antojo,
así me tratas.
Tú vienes a encenderla, te vas para volver; entonces
soñaré otra vez esa esperanza, pues de otro modo
moriría.

Xavier Villaurrutia
(México)

Nocturno sueño

A Jules Supervielle

Abría las alas
profundas el sueño
y voces delgadas
corrientes de aire
entraban

Del barco del cielo
del papel pautado
caía la escala
por donde mi cuerpo
bajaba

El cielo en el suelo
como en un espejo
la calle azogada
dobló mis palabras

Me robó mi sombra
la sombra cerrada
Quieto de silencio
oí que mis pasos
pasaban

El frío de acero
a mi mano ciega
armó con su daga
Para darme muerte
la muerte esperaba

Y al doblar la esquina
un segundo largo
mi mano acerada
encontró mi espalda

Sin gota de sangre
sin ruido ni peso
a mis pies clavados
vino a dar mi cuerpo

Lo tomé en los brazos
lo llevé a mi lecho

Cerraba las alas
profundas el sueño.

José Lezama Lima
(Cuba)

Figuras del sueño

(fragmentos)

I

Quede tu brazo alzado,
lo reconoceré pendiente
más de prisa en su sueño.
Refugio de uvas, de alondras
en sus grutas, en los ríos
de generosa vida prolongada.
Adivino en las venas
un tumulto que mira y se fija
en el primer chillido,
en manzana ingenua
que la siesta desviste.
¿Comprendes la mano alzada
—flor de hilo y de venas
la propia pertenencia real—
y el diapasón sin eco?

II

El sueño sobre mi carne
asegura su isla leve.
Lo que se abre por dentro,

el almendro, la cal eterna,
domesticado revuela,
paloma que se va
al fuego o al nido pasajero
caído de sus alas.
Todo lo que se deja caer,
mirada al pasar
y el sueño al decaer.
La llama que se sabe alzar.
El sueño que cae.
La cal fugaz
que quiere destrenzar
símbolos en la pared.
El gamo que atraviesa el sueño
se asusta
en oblicuo chillido,
pero como sostiene al cielo
el cristal rodará.

Ramón López Velarde
(México)

El sueño de los guantes negros

Soñé que la ciudad estaba dentro
del más bien muerto de los mares muertos.
Era una madrugada del invierno
y lloviznaban gotas de silencio.

No más señal viviente, que los ecos
de una llamada a misa, en el misterio
de una capilla oceánica, a lo lejos.

De súbito me sales al encuentro,
resucitada y con tus guantes negros.

Para volar a ti, le dio su vuelo
el Espíritu Santo a mi esqueleto.

Al sujetarme con tus guantes negros
me atrajiste al océano de tu seno,
y nuestras cuatro manos se reunieron
en medio de tu pecho y de mi pecho,
como si fueran los cuatro cimientos
de la fábrica de los universos.

¿Conservabas tu carne en cada hueso?
El enigma de amor se veló entero
en la prudencia de tus guantes negros [...]

¡Oh, prisionera del valle de Méjico!
Mi carne [...]* de tu ser perfecto
quedarán ya tus huesos en mi huesos;
y el traje, el traje aquel, con que tu cuerpo
fue sepultado en el valle de Méjico;
y el figurín aquel, de pardo género
que compraste en un viaje de recreo [...]

Pero en la madrugada de mi sueño,
nuestras manos, en un circuito eterno
la vida apocalíptica vivieron.

Un fuerte [...] como en un sueño,
libre como cometa, y en su vuelo
la ceniza y [...] del cementerio
gusté cual rosa [...]

* Los puntos suspensivos indican palabras ilegibles en el original.

Walt Whitman
(Estados Unidos)

En sueños me dijeron

(fragmento)

En sueños me dijeron que aquel a quien amo de
día y de noche, había muerto;
Y soñé que acudía al lugar donde mi amor había
sido sepultado sin poder hallarlo;
Y soñé que vagaba entre las tumbas, buscándole;
Y descubrí que todos los lugares son cementerios.
Las moradas llenas de vida estaban igualmente
llenas de muerte (esta misma casa lo está);
Las calles, los muelles, los sitios de diversión,
Chicago, Boston, Filadelfia y Manhattan
estaban tan llenos de muertos como de vivos
Y aun más de muertos, ah, mucho más de
muertos, ah, mucho más muertos que vivos.
Lo que soñé voy a contarlo a todas las personas y
a todas las eras.
En adelante permaneceré ligado a aquello que soñé...

Valerio Magrelli
(Italia)

Mucho sustrae el sueño a la vida

Mucho sustrae el sueño a la vida.
La obra impulsada al límite del día
resbala lenta en el silencio.
La mente sustrayéndose a sí misma
se recubre de párpados.
Y el sueño se ensancha en el sueño
como un segundo sueño intolerable.

Anise Koltz
(Luxemburgo)

En un valle invisible

En un valle invisible
Desenredo el sueño
Para toparme con los sueños

Con ellos
Paso de un exilio a otro.

Luis Cernuda
(España)

Viviendo sueños

Tantos años que pasaron
Con mis soledades solo
Y hoy tú duermes a mi lado.

Son los caprichos del sino,
Aunque con mis circunloquios
Cuánto tiempo no he perdido.

Mas ahora en fin llegaste
De su mano, y aún no creo,
Despierto en el sueño, hallarte.

Oscura como la lluvia
Es tu existencia, y en tus ojos,
Aunque dan luz, es oscura.

Pero de mí qué sería
Sin este pretexto tuyo
Que acompaña así la vida.

Miro y busco por la tierra:
Nada hay en ella que valga
Lo que tu sola presencia.

Cuando le parezca a alguno
Que entre lo mucho divago,
Poco de cariño supo.

Lo raro es que al mismo tiempo
Conozco que tú no existes
Fuera de mi pensamiento.

Giuseppe Ungaretti
(Italia)

Sueño

Rota la indecisión bajo la onda
vuelve a arrobarse aurora.

Con un vuelo de plata
en cada humo esboza
mejillas encendidas.

En los pajares conmueven clamores.

Mas ya el aliso en torno al lago
muestra la cáscara, es de día.

Del dormir al velar ha ido
el sueño en un relámpago.

Jaime Gil de Biedma
(España)

Días de Pagsanján

Como los sueños, más allá
de la idea del tiempo,
hechos sueños de sueño os llevo,
días de Pagsanján.

En el calor, tras la espesura,
vuelve el río a latir
moteado, como un reptil
Y en la atmósfera oscura

bajo los árboles en flor,
—relucientes, mojados,
cuando a la noche nos bañábamos—
los cuerpos de los dos.

Antonio Castañeda
(México)

Los sueños del dibujante Héctor Xavier

In memoriam

Héctor Xavier sueña
con papeles en blanco que flamean
al paso angelical de una punta de plata.

Héctor Xavier sueña
unicornios hechizados que difunden a pausas
la luz febril que llevan dentro.

Héctor Xavier sueña
leopardos y tigres que braman entre rejas
por tanta incandescencia encarcelada.

Héctor Xavier sueña
muchachas desnudas que decoran sus cuerpos
con imanes y cuarzos de planetas cercanos.

Héctor Xavier sueña
archipiélagos de tinta que se estremecen
con el canto ensimismado de un velero fantasma.

Héctor Xavier sueña
con la niña-mujer que paseaba con él
ante el río solar del Parque Hundido.

Héctor Xavier sueña
los rostros de sus amigos muertos, tras el cristal
que ya los tiene a salvo de eclipses y borrascas.

Héctor Xavier sueña
el aura de su mano convertida en ceniza
y llora porque ya no verá la brisa providente en
los espejos.

Vicente Aleixandre
(España)

El sueño

Hay momentos de soledad
en que el corazón reconoce, atónito, que no ama.
Acabamos de incorporarnos, cansados: el día
oscuro.
Alguien duerme, inocente, todavía sobre ese lecho.
Pero quizá nosotros dormimos... Ah, no: nos
movemos.
Y estamos tristes, callados. La lluvia, allí insiste.
Mañana de bruma lenta, impiadosa. ¡Cuán solos!
Miramos por los cristales. Las ropas, caídas;
el aire, pesado; el agua, sonando. Y el cuarto,
helado en este duro invierno que, fuera, es distinto.

Así te quedas callado, tu rostro en tu palma.
Tu codo sobre la mesa. La silla, en silencio.
Y sólo suena el pausado respiro de alguien,
de aquella que allí, serena, bellísima, duerme
y sueña que no la quieres, y tú eres su sueño.

Gilberto Owen
(México)

Día once, llagado de su sueño

Encima de la vida, inaccesible,
negro en los altos hornos y blanco en mis volcanes
y amarillo en las hojas supérstites de octubre,
para fumarlo a sorbos lentos de copos ascendentes,
para esculpir sus monstruos en las últimas nubes
de la tarde
y repasar su geometría con los primeros pájaros
del día.

Debajo de la vida, impenetrable,
veta que corre, estampa del río que fue otrora,
y del que es, cenote de un Yucatán en carne viva,
y corriente del Golfo contra climas estériles,
y entrañas de lechuzas en las que leo mis augurios.

Al lado de la vida, equidistante
de las hambres que no saciamos nunca
y las que nunca saciaremos,
pueril peso en el pico de la pájara pinta
o viajero al acaso en la pata del rokh,
hongo marciano, pensador y tácito,
niño en los brazos de la yerma, y vida,
una vida sin tiempo y sin espacio,
vida insular, que el sueño baila por todas partes.

Alejandro Aura
(México)

La raíz del sueño

Pedirle hace
Cierta piedad al sueño,
Cuando su masa está suave todavía
Y se oye aún la música de sus caricaturas.

Estas acciones pías de voltearse,
De negarse a la vigilia,
De oponerse a la ingrata conciencia
Y masticar el pan del sueño
Sin temor al riesgo,
Ennoblecen al durmiente
Que así se expone a conocer lo que hay detrás.

Porque sabe a carne el sueño,
Si se alarga
Parece que uno se va comiendo a sí mismo,
Sabe a cada uno su sueño prolongado
Y en la raíz del sueño
Está el origen del deseo.

De vez en cuando es bueno
Dejar que el párpado se hinche,
Que se agote la frente,
Que se descuenten las horas laborables
A favor de tal imitación de la delicia.

Jorge Esquinca
(México)

Camaleón que no duerme

La virtud de este pequeño saurio es su modestia, su privilegio la invisibilidad. Como pocos entre los de su especie —bichos de mirada parabólica y lengua centelleante— el camaleón nunca duerme. "Una cosa —dicen los enterados— es la maestría en el camuflaje; otra, el riesgo de la extinción." Nada lo asusta tanto como los avatares del dormir. Señor del disfraz, la astucia del camaleón se finca en su vigilia, en su capacidad de confundirse sin perderse. He aquí la razón de su temor al sueño. ¿Puede alguien imaginar el sueño de un camaleón? Resumámoslo así: el sueño del camaleón es una deriva de colores y tejidos, de intrincados arabescos que, como en un perverso calidoscopio, se suceden inopinadamente, fuera de control; es un ir y venir de redes, mapas y ornamentos de imposible catálogo. Una vez desatada, su fantasía no conoce límite; todo lo que en vigilia es ardid, calculado azar, resistencia pacífica, se vuelve laberinto: arquitectura del enigma. Y el camaleón, que se sabe pionero en el arte del disimulo, de la transparencia por semejanza, llega entonces a la vorágine de un centro único, de un punto vacío que lo atrae como el imán más poderoso. Y a partir de ahí —lo sabe el camaleón mientras acecha la amarilla ignorancia de un coleóptero sobre la rama vecina— no hay regreso, no hay diferencia entre el infinito y su nostalgia.

Raúl Renán
(México)

Sueño

Un hachón
con una llama de flamboyanes.
No hay que perder de oído
a la rueca que hila la noche
ni a los ayes que escapan
de la almohada.
Sueños arriba, montaremos la red
para atrapar
los versos que cantan
        las sirenas.
Y al regresar los ojos
todo habrá parecido
de manera distinta.

Los dioses viven dentro
claman dentro
mueren dentro.

Francesco Petrarca
(Italia)

Soneto

CCXII

Feliz en sueños, de penar contento,
de abrazar sombras e ir tras la aura estiva,
en mar sin fondo o playa, aro agua viva;
edifico en arena, escribo en viento;

y al sol sigo mirando, aunque bien siento
que ya ha apagado mi virtud visiva;
y a una cierva errabunda y fugitiva
cazo con un buey cojo, enfermo y lento.

Noche y día buscando voy mi daño,
que para el resto estoy ciego y cansado;
sólo a Amor, a ella y a la Muerte anhelo.

Afanándome veinte, año tras año,
lágrimas y suspiros he mercado:
en tal astro piqué cebo y anzuelo.

Rubén Darío
(Nicaragua)

Dream

Se desgrana un cristal fino
sobre el sueño de una flor;
trina el poeta divino…
¡Bien trinado, Ruiseñor!

Bottom oye ese cristal
caer, y, bajo la brisa,
se siente sentimental.
Titania toda es sonrisa.

Shakespeare va por la floresta,
Heine hace un “lied” de la tarde…
Hugo acompasa la Fiesta
“Chez Thérèse”. Verlaine arde

en las llamas de las rosas
alocado y sensitivo,
y dice a las ninfas cosas
entre un querubín y un chivo.

Aubrey Beardsley se desliza
como un silfo zahareño.
Con carbón, nieve y ceniza
da carne y alma al ensueño.

Nerval suspira a la luna.
Laforgue suspira de
males de genio y fortuna.
Va en silencio Mallarmé.

Enrique Lihn
(Chile)

Del país de los sueños

Cientos, cientos de veces te encontraré a la vuelta
de la memoria abundante en esquinas
en la enrarecida atmósfera del país de los sueños
en que no hay cosa que no esté hecha de nada
Me harás, sin verme, un saludo con la mano,
pues de los
dos yo seré el único
en vernos y no tú la buena amiga de los años reales.

Además allí, en la nada, encuentros y desencuentros
¿en qué se diferencian? El diálogo es su simulacro
hecho de las palabras recordadas. La que esté allí
es sólo una visión a la espera de un taxi
de hace diez o
quince años
sin haber envejecido porque en ese país
no se vive ni se muere, con tu vestido pasado
de moda
remedo de algunas escenas que habríamos
podido vivir
juntos si todavía fuéramos reales
Y sentiré lástima de mí y me invadirá
como si fuera el amor
el recuerdo vacío de estas lágrimas.

Pablo Neruda
(Chile)

El sueño

Andando en las arenas
yo decidí dejarte.

Pisaba un barro oscuro
que temblaba,
y hundiéndome y saliendo
decidí que salieras
de mí, que me pesabas
como piedra cortante,
y elaboré tu pérdida
paso a paso:
cortarte las raíces,
soltarte sola al viento.

Ay, en ese minuto,
corazón mío, un sueño
con sus alas terribles
te cubría.

Te sentías tragada por el barro,
y me llamabas y yo no acudía,
te ibas, inmóvil,
sin defenderte
hasta ahogarte en la boca de arena.

Después
mi decisión se encontró con tu sueño.

Juan Ramón Jiménez
(España)

Al sueño

(En el insomnio)

Sueño, pájaro eterno, de todos los colores; que, atado al corazón, igual que un jerifalte al puño, ensayas vuelos por las celestes flores, cuando, en la noche, Dios ahonda su azul esmalte.

Ilusión que, hecha alas traes presa de todo lo divino a lo humano; ¿por qué de mí te fuiste? ¿Por qué me dejas negro, entre abismos de lodo, como un náufrago, yerto; como un proscrito, triste?

Clavados en tu vuelta tengo los ojos, rojos de desesperación. ¡Ve mi mano indijente, que te llama! ¡Sé, preso, la jaula de mis ojos! ¡Recójete de nuevo, ruiseñor, en mi frente!

Roberto Juarroz
(Argentina)

30

Abriendo los portalones del sueño,
Me despierta el fantasma de una música
en la que ni siquiera reconozco
la melodía o los instrumentos que la ejecutan.

No despierto del todo,
sino tan sólo lo suficiente para escucharla
y no comprender que esta música está hecha
con los fantasmas de todos los sonidos
y con los sonidos de todo lo que calla.

No despierto del todo.
Pero esta música fantasma,
de filiación plural como la noche,
también viene a decirme
que hay ciertas cosas excesivamente intensas
que no están hechas para el recuerdo,
porque la condición de su intensidad es el olvido.

Tal vez esta música fantasma
sea entonces lo que tanto he buscado:
la música del olvido.

Alí Chumacero
(México)

El sueño de Adán

Ligera fue tu voz, mas tu palabra dura
con vuelo de paloma sin más peso
que su inmóvil cruzar el mar del viento;
y persistes como un sonido bajo el agua,
desde mi piel al aire levantada,
ligera como fuiste, como esa ala
que olvidada del mundo se recrea,
convertida en ausencia y en olvido.

Vivo de oírme el cuerpo y de entregarme al tiempo
como a un rumbo sin luz la adormecida rosa,
como asoma en el sueño y luego muere
el cielo que una tarde contemplamos,
y oigo a la vida en mí, su aliento te recuerda
ingrávida, en latidos desprendida,
con un temblor de silenciosas aguas
de su propia amargura renaciendo.

Sufres conmigo cuando sólo miro
que el amor es un cuerpo de imágenes poblado,
y caricia se llama a tocar el recuerdo,
a sentir las tinieblas en las manos
y en un esfuerzo inútil oponerse
a ese tiempo que arrastra nuestro duelo

hasta inclinar los labios a la nieve
y tender en ceniza nuestros cuerpos.

Te siente el corazón como un aroma
que en un eco perdiera sus imágenes,
y me palpo la piel tocando en ella
la tersura del agua donde yaces,
y después quedo solo, enamorado
de esta voz que del cuerpo te desprende
tornada en pensamiento, y en palabras te crea,
nacida nuevamente de mi sueño.

Carlos Drumond de Andrade
(Brasil)

Dos sueños

El gato duerme la tarde entera en el jardín.
Sueña (?) tigres aletargados, los llama
para la fraternidad en el jardín.
¿Gato soñando, tal vez sueño de hombre?

Continúa durmiendo, mientras ignoro
la naturaleza y el límite de su sueño
y a mi vez
también me sueño (envidio) gato en el jardín.

Jorge Luis Borges
(Argentina)

Una pesadilla

Cerré la puerta de mi departamento y me dirigí al ascensor. Iba a llamarlo cuando un personaje ocupó toda mi atención. Era tan alto que yo debí haber comprendido que lo soñaba.

Aumentaba su estatura un bonete cónico. Su rostro (que no vi nunca de perfil) tenía algo de tártaro o de lo que yo imagino que es tártaro y terminaba en una barba negra, que también era cónica. Los ojos me miraban burlonamente. Usaba un largo sobretodo negro y lustroso, lleno de grandes discos blancos. Casi tocaba el suelo. Acaso sospechando que soñaba, me atreví a preguntarle no sé en qué idioma por qué vestía de esa manera. Me sonrió con sorna y se desabrochó el sobretodo. Vi que debajo había un largo traje enterizo del mismo material y con los mismos discos blancos, y supe (como se saben las cosas en los sueños), que debajo había otro.

En aquel preciso momento sentí el inconfundible sabor de la pesadilla y me desperté.

Ledo Ivo
(Brasil)

El sueño de los peces

No puedo admitir que los sueños
sean un privilegio de las criaturas humanas.
Los peces también sueñan.
En el lago pantanoso, entre miasmas
que aspiran a la densa dignidad de la vida,
ellos sueñan con los ojos siempre abiertos.

Los peces sueñan inmóviles, en la bienaventuranza
del agua fétida. No son como los hombres, que se
agitan
en sus lechos desdichados. En verdad,
los peces difieren de nosotros, que aún
aprendemos a soñar
y nos debatimos, como ahogados, en el agua turbia
entre imágenes hediondas y espinas de peces
muertos.

Junto al lago que yo mismo mandé cavar,
haciendo realidad un incómodo sueño de infancia,
interrogo al agua oscura. Las tilapias se ocultan
de mi sospechoso mirar de propietario
y se niegan a enseñarme cómo debo soñar.

Ernesto Cardenal
(Nicaragua)

La persona más próxima a mí

La persona más próxima a mí
eres tú, a la que sin embargo
no veo desde hace tanto tiempo
más que en sueños.

Ángel González
(España)

Último sueño

Más allá de este sueño
ya no hay nada:

territorio final
en el que permanezco confinado,
desde el que también sueño
hasta perder la memoria de mí mismo.

Cuando no sueño,
ese sueño sin sueños
es —a secas— la vida.

Tercera parte

Epílogo

Roberto Juarroz
(Argentina)

A veces un poema nos despierta

A veces un poema nos despierta desde el sueño. Y aunque volvamos a dormirnos para encontrar otra vez el poema, no podemos hallarlo. Los poemas de los sueños van hacia otra parte.

Fuentes bibliográficas

RAFAEL ALBERTI, *101 sonetos*, Alianza Editorial, 1995.
VICENTE ALEIXANDRE, *Obras completas*, Aguilar, 1968.
DANTE ALIGHIERI, *La Divina Comedia*, Alianza Editorial, 1995.
CÉSAR ARÍSTIDES, *Meditaciones*, poema inédito.
ARTEMIDORO, *La interpretación de los sueños*, Biblioteca Clásica Gredos, 1981.
ALEJANDRO AURA, *Poesía completa 1963-1993*, CONACULTA, 1998.
GASTÓN BAQUERO, *Poesía*, Fundación Central Hispano, 1995.
MARÍA BARANDA, *Nadie, los ojos*, CONACULTA (col. Práctica Mortal), 1999.
JOSÉ CARLOS BECERRA, *El otoño recorre las islas*, ERA-UAM, 1991.
GUSTAVO ADOLFO BÉCQUER, *Antología poética*, Alianza Editorial, 1987.
FRANCISCO LUIS BERNÁRDEZ, *La ciudad sin Laura*, Losada, 1984.
JORGE LUIS BORGES, *Obras completas*, EMECÉ, 1989.
JUAN BOSCÁN, *Poesía completa*, Porrúa, 1999.
ÁLVARO DE CAMPOS, *Fernando Pessoa, Poesía*, Alianza Editorial, 1997.
ERNESTO CARDENAL, *Epigramas*, Ediciones Carlos Lohlé, 1977.
ANTONIO CASTAÑEDA, *Instantes de la flama*, UNAM, 1997.
C.P. CAVAFIS, *Cien poemas*, Monte Ávila, 1992.
LUIS CERNUDA, *La realidad y el deseo*, FCE, 1995.
FRANCISCO CERVANTES, *Cantando para nadie, Poesía completa*, FCE, 1997.
JUAN GUSTAVO COBO BORDA, *Prístina y última piedra*, Aldus, 1999.
CYRIL CONOLLY, *La tumba sin sosiego*, Premià, 1981.
SOR JUANA INÉS DE LA CRUZ, *Lírica personal*, FCE, 1997.
ALÍ CHUMACERO, *Poesía reunida*, CONACULTA, 1991.
RUBÉN DARÍO, *Poesía*, Biblioteca Ayacucho, 1977.

ENRIQUE LIHN, *Porque escribí*, FCE, 1995.
EDUARDO LIZALDE, *Nueva memoria del tigre (Poesía 1949-1991)*, FCE, 1995.
RAMÓN LÓPEZ VELARDE, *Obras*, FCE, 1971.
ERNESTO LUMBRERAS, *El cielo*, FCE, 1998.
ANTONIO MACHADO, *Parábola*, Poesías completas, Editorial Arte y Literatura, La Habana, 1975.
VALERIO MAGRELLI, *Ora serrata refinae*, Visor libros, 1990.
STÉPHANE MALLARMÉ, *Poesía completa*, Ediciones 29, 1995.
JOSÉ MARTÍ, *Poesía completa*, Alianza Editorial, 1995.
FRANCISCO MARTÍNEZ NEGRETE, *A la dulcísima muerte*, Hotel Ambosmundos, 1999.
MARGARITA MICHELENA, *Poesía en movimiento*, Siglo XXI, 1969.
ENRIQUE MOLINA, *Obra poética*, Monte Ávila, 1978.
ÁLVARO MUTIS, *Poesía*, PROCULTURA, 1985.
CARLOS NIETO, *Fragmentos de Rodolfo y otros fragmentos*, Oro de la Noche Ediciones, 1999.
NOVALIS, *Himnos a la noche*, Premià, 1981.
GILBERTO OWEN, *Obras*, FCE, 1996.
JOSÉ EMILIO PACHECO, *Tarde o temprano*, FCE, 1980.
OCTAVIO PAZ, *Obras completas*, FCE, 1997.
SAINT-JOHN PERSE, *Pájaros*, El Tucán de Virginia, 1999.
FRANCESCO PETRARCA, *Cancionero*, traducción de Ángel Crespo, Alianza Editorial, 1995.
VIRGILIO PIÑERA, *Poesía y crítica*, CONACULTA, 1994.
EMILIO PRADOS, *Memoria del olvido*, CONACULTA (Col. Lecturas Mexicanas), 1991.
GIOVANNI QUESSEP, *Panorama inédito de la nueva poesía colombiana*, Procultura, S.A., 1986.
FRANCISCO DE QUEVEDO, *Obras completas*, Planeta, 1963.
VICENTE QUIRARTE, *El peatón es asunto de la lluvia*, FCE, 1999.
JOSÉ ANTONIO RAMOS SUCRE, *Obra poética*, FCE, 1999.
RAÚL RENÁN, *Viajeros en sí mismo*, UNAM, 1991.
ALFONSO REYES, *Obras completas*, FCE, 1959.

SALVADOR DÍAZ MIRÓN, *Poesía completa*, FCE, 1997.

ELISEO DIEGO, *El silencio de las pequeñas cosas*, Letras Cubanas, 1993.

JOHN DONNE, *Poesía completa*, traducción de E. Caracciolo Trejo, Ediciones 29, 1986.

CARLOS DRUMMOND DE ANDRADE, *Más que carnaval, Antología de poetas brasileños contemporáneos*, Aldus, 1994.

ODISEAS ELITIS, *Antes que nada la poesía, Las muchachas*, El Tucán de Virginia, 1998.

JORGE ESQUINCA, *Paso de ciervo*, FCE, 1998.

FEDERICO GARCÍA LORCA, *Obras completas*, Aguilar, 1968.

FELIPE GARRIDO, *La Musa y el Garabato*, FCE, 1995.

ÁNGEL GAZTELU, *Gradual de laudes*, Ediciones del Equilibrista, 1987.

JAIME GIL DE BIEDMA, *Las personas del verbo*, Monte Ávila, 1993.

LUIS DE GÓNGORA Y ARGOTE, *Poesía*, Clásicos Ebro, 1976.

ÁNGEL GONZÁLEZ, *Segunda parte*, CONACULTA, 1998.

ULALUME GONZÁLEZ DE LEÓN, *Plagios*, SEP, México, 1988.

ORLANDO GONZÁLEZ ESTEVA, *Escrito para borrar*, Tierra del Poeta, 1997.

YEHUDA HA- LEVÍ, *Nueva antología poética*, Hiperión, 1997.

LUIS IGNACIO HELGUERA, *Ígneos*, Minimalia, 1998.

FRIEDRICH HÖLDERLIN, *Poesía completa*, Ediciones 29, 1977.

DAVID HUERTA, *La música de lo que pasa*, CONACULTA, 1997.

EDUARDO HURTADO, *Ciudad sin puertas*, Ediciones Toledo, 1994.

LEDO IVO, *Más que carnaval, antología de poetas brasileños contemporáneos*, Aldus, 1994.

JUAN RAMÓN JIMÉNEZ, *Poesía completa*, Alianza Editorial, 1986.

ROBERT L. JONES, *La cebolla silvestre*, Joan Boldó i Climent, 1992.

ROBERTO JUARROZ, *Poesía vertical*, Emecé, 1993.

____, *Fragmentos verticales*, Emecé, 1997.

ANISE KOLTZ, *Cantos de rechazo*, Hiperión, 1998.

JOSÉ LEZAMA LIMA, *Poesía completa*, Letras Cubanas, 1970.

Jaime Reyes, *Un día un río*, Aldus, 1999.
Arthur Rimbaud, *Una temporada en el infierno, Iluminaciones*, Montesinos, 1990.
Gonzalo Rojas, *El alumbrado*, Ediciones Ganymedes, 1986.
Jorge Ruiz Dueñas, *Carta de rumbos*, Difusión Cultural, unam, 1998.
Juan Rulfo, *Obras*, fce, 1995.
Jaime Sabines, *Recuento de poemas (1950-1993)*, Joaquín Mortiz, 1997.
Pedro Salinas, *Poesías completas*, Alianza Editorial, 1998.
Tomás Segovia, *Poesía 1943-1997*, fce, 1998.
William Shakespeare, *Hamlet*, Porrúa, 1996.
Alfonsina Storni, *Poesía*, Editores Mexicanos Unidos, 1988.
Mark Strand, *Emblemas*, El Tucán de Virginia, 1988.
José Juan Tablada, *Poesía*, unam, 1971.
Georg Trakl, *En camino*, El Tucán de Virginia, 1998.
Giuseppe Ungaretti, *Sentimiento del tiempo*, traducción de Tomás Segovia, Premià Editora, 1981.
César Vallejo, *Obra poética*, unesco, 1989.
Xavier Villaurrutia, *Obras*, fce, 1991.
Cintio Vitier, *Antología poética*, Monte Ávila, 1998.
Roger Vitrac, André Breton, Paul Eluard y Luis Buñuel, *Diccionario temático del surrealismo*, Alianza Editorial, 1996.
Walt Whitman, *Poesía completa*, traducción de Pablo Mañé, Ediciones 29, 1986.
Ludwig Wittgenstein, *Aforismos, cultura y valor*, Espasa-Calpe, col. Austral, 1996.